cuentos de ahora

Amigos de verdad

José Morán / Paz Rodero

sm

LA ANÉMONA Y EL CANGREJO

HICIERON GRAN AMISTAD.

DESDE ENTONCES VIVEN JUNTOS
EN EL FONDO DE LA MAR.

ÉL PREPARA LA COMIDA,
ES COCINERO SIN PAR.

Y ELLA DEFIENDE AL AMIGO

CON SU VENENO MORTAL.

RECORREN DE ARRIBA ABAJO

ARRECIFES DE CORAL,

BUSCAN TESOROS OCULTOS,
SE RÍEN, VIENEN Y VAN,

CORREN MIL AVENTURAS
SIN SEPARARSE JAMÁS,

Y SI ALGUNA VEZ DISCUTEN,

SE PERDONAN Y YA ESTÁ.

CUANDO EL CANGREJO SE MUDA,

CON ÉL SU AMIGA SE VA.

DE NOCHE BAJAN AL FONDO...

¡QUÉ OSCURO, QUÉ MIEDO DA!

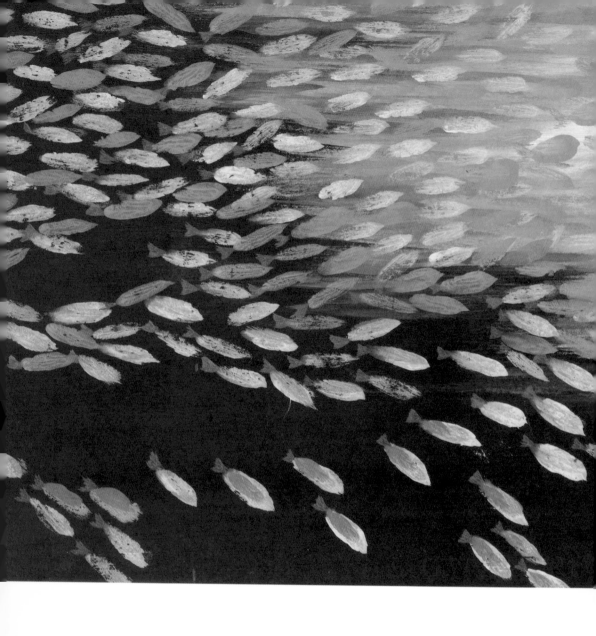

PERO SI SALE LA LUNA,

SIEMPRE SE DUERMEN EN PAZ.

LA ANÉMONA Y EL CANGREJO